Vous rêvez de rapports humains...
Vous en avez assez du célibat et souhaitez enfin
connaître le bonheur de la vie à deux ?
Votre relation a perdu de sa ferveur initiale
et aurait bien besoin d'un peu de « piment » ?
Peut-être envisagez-vous même une séparation et
avez-vous envie de faire une dernière tentative…
Le Feng Shui, art de vivre pratiqué en Asie depuis
des millénaires, peut, moyennant quelques astuces
et conseils pratiques, vous aider à réaliser
vos désirs les plus chers : davantage d'amour,
de plaisir et d'harmonie, de joie et de vivacité.

Sommaire

La puissance du Feng Shui 4

Pour les couples et les célibataires :
faire circuler l'énergie amoureuse 5
Qu'est-ce que le Feng Shui ? 5
«Vent et Eau» : la clé du bonheur 6
Tout est énergie 6
Laisser circuler l'énergie 6
L'excès est nocif 7
Le yin et le yang, principes féminin et masculin 8
Faire le ménage pour favoriser les « bonnes vibrations » 8
À chacun son intérieur 9
Test : vous reconnaissez-vous ? 10
Quel type d'amant êtes-vous ? 12

Le Feng Shui
et la décoration intérieure 14

Une chambre voluptueuse 15
L'emplacement idéal 15
Évacuer le stress 15
Votre nid d'amour personnifié 16
Ce qui vous séduit vraiment 17
Avec les individus à dominante «métal», rien n'est laissé au hasard 17
Les individus à dominante «eau» ont besoin de douceur 17
Frivoles, joueurs, les «bois» ne manquent pas d'inspiration 18
Exotisme scintillant pour les individus à dominante «feu» 18
Les individus à dominante «terre» jouissent avec tous leurs sens 19
Le Pa Kua, miroir de votre vie 20
Neuf secteurs pour neuf aspects de la vie 20
Le langage de l'appartement 21
Le test du Pa Kua 22
Renforcez le secteur des relations humaines 23

Un **Chi** renouvelé pour votre vie amoureuse

	24
Pour les célibataires tout d'abord :	
une force d'attraction magique...	**25**
Les quatre étapes qui conduisent au paradis	25
Après le septième ciel, former un couple	**27**
L'importance du dialogue	27
Pourquoi vous mettez-vous en colère ?	28
Test : qu'est-ce qui cloche dans votre relation ?	29
Devenez enfin vous-même	32
Les enfants : ne vous laissez pas envahir	**34**
Un défi permanent	34
Des espaces « sans enfants »	35
Votre « refuge »	35

S'épanouir dans l'amour : sensualité et joie au quotidien

	36
Jouir pleinement	**37**
Parfums enivrants	37
Délices aphrodisiaques	37
Plaisirs orgiaques dans la baignoire	38
Le Feng Shui de l'érotisme	**39**
Viens jouer avec moi	39
Quelques idées coquines	39
Comment faire circuler à nouveau librement l'énergie	40
À n'oublier sous aucun prétexte : le Feng Shui de la joie	**42**
Le rire agit sur la libido	42
Le Feng Shui du bon temps	43
Le Feng Shui du bien-être	44
Prenez-vous en main, sans perdre de temps	45
Informations	**46**
Adresses utiles	
et références bibliographiques	46
Index	47

La puissance du

Feng Shui

La nature et les principes de cet art de vivre

Au fil des millénaires, le Feng Shui s'est imposé dans les régions les plus diverses de la planète, et il exerce aujourd'hui une fascination plus forte que jamais. Cet art de vivre ne se limite pas à transformer nos demeures en sources d'énergie, à créer une atmosphère créative dans nos bureaux et à rendre nos commerces encore plus fructueux, il permet aussi d'être heureux en amour.

Pour les couples et les célibataires

Faire circuler l'énergie amoureuse

Vous savez probablement que le Feng Shui est lié à l'aménagement de votre intérieur. Mais en quoi cela peut-il vous aider dans votre vie amoureuse ?

Qu'est-ce que le Feng Shui ?

Discipline chinoise ancestrale apparue sans doute il y a entre cinq et six mille ans, le Feng Shui enseigne comment l'environnement peut devenir une source de régénération et d'inspiration, en faisant circuler l'énergie vitale. Vous pouvez par exemple attirer l'énergie positive vers votre chambre en jouant sur les couleurs, la lumière et les accessoires, et donner ainsi un nouvel essor à votre vie amoureuse.

Tout ce qui nous entoure nous influence

Notre environnement nous influence plus que nous le pensons. Imaginez que vous êtes en train de regarder un lac limpide ou un joli paysage et observez comme votre humeur change : vous vous sentez plus détendu et plus heureux. Inversement, avec le bruit de la circulation, l'agitation qui y règne et le manque d'espaces verts, une ville génère du stress et pompe notre énergie vitale.

Le Feng Shui vous propose des mesures pour transformer votre appartement en une source d'énergie vitale personnelle.

Le secret de la réussite

Si le Feng Shui est source d'énergie, de joie de vivre et de réussite, certaines astuces permettent en outre d'améliorer rapidement nos rapports avec les autres. Dans cette optique, cet ouvrage propose un éventail de mesures simples pour l'aménagement de la chambre à coucher, ainsi que les conseils de maîtres vénérables en matière de relations humaines et de sexualité. Que vos souhaits les plus secrets deviennent réalité !

Le Feng Shui est source d'énergie, de joie de vivre et de réussite.

«Vent et eau», la formule magique du bonheur

Littéralement, Feng Shui signifie «vent et eau». Tout un programme, car il évoque effectivement l'action bénéfique de ces puissantes manifestations de la nature.

Tout est énergie

Pensez au sentiment électrique qui parcourt deux individus qui se regardent dans les yeux, en train de tomber amoureux l'un de l'autre. D'un côté, le champ énergétique «mâle», de l'autre, le champ énergétique «femelle», et entre les deux, une force d'attraction irrésistible : un courant énergétique invisible lie ces deux personnages.

Une certaine quantité d'énergie Feng Shui, que les Chinois appellent «Chi» (ou «Qi»), circule en chacun de nous et dans tout ce qui nous entoure. Malgré son apparence massive, une montagne est tout autant porteuse de Chi qu'une

table, une maison, un tableau, une couleur ou l'ensemble d'un paysage. Nous ressentons tous cette énergie vitale, malheureusement souvent de façon inconsciente : nous connaissons tous des lieux où nous nous sentons particulièrement bien (le Chi environnant s'harmonise alors avec le nôtre, comme dans le cas du couple susnommé), et d'autres où «quelque chose nous dérange» (le Chi de l'objet ou de la personne voisine nous est étranger, nous irrite).

Laisser circuler l'énergie

Partout où il y a de la vie circule le Chi. Or, comme le montre la nature, tout ce qui bouge se

transforme : les plantes poussent et meurent, les jours et les saisons se succèdent.

L'énergie du Chi devrait circuler librement dans notre corps et dans notre logement. C'est le postulat de base du Feng Shui : c'est de cette circulation énergétique que naît la force vitale. Or, lorsque l'énergie vitale circule librement, nous allons bien et tout en nous peut se développer et s'épanouir.

Le Chi doit circuler librement

Vous détendez-vous aussi vite chez vous qu'en vacances ? Non ? Alors ouvrez portes et fenêtres (un apport d'oxygène frais fait entrer du Chi positif) et faites circuler l'énergie.

● Le Chi doit s'écouler comme un cours d'eau qui serpente dans un champ. Faites en sorte que les personnes et les flux d'énergie visibles puissent circuler librement, en jouant sur la disposition des meubles, sur les accessoires qui mobilisent l'énergie (mobiles et fleurs

Le Chi doit pouvoir circuler librement dans une pièce.

fraîches par exemple) et sur les couleurs vives.

L'acupuncture appliquée à l'espace

Tout encombrement des voies de circulation crée des blocages néfastes. Selon la conception chinoise, les maladies sont provoquées par ces blocages énergétiques. L'acupuncture permet de les supprimer et de rétablir la circulation de l'énergie.

De la même façon, un blocage énergétique dans un appartement peut être source de problème. Le Feng Shui consiste donc dans une certaine mesure à appliquer l'acupuncture à l'espace, car chaque mesure d'harmonisation prise en un endroit précis se répercute sur l'ensemble du lieu.

Tout excès est nocif

Attention toutefois, un excès d'énergie vitale Chi peut être nocif.

● Les longues lignes droites ne sont pas naturelles. Les longs couloirs constituent des

sortes « d'autoroutes énergétiques », ils accélèrent le Chi au lieu de le laisser couler tranquillement. Il est possible d'interrompre et d'équilibrer ce courant en plaçant judicieusement des meubles, des plantes ou des objets décoratifs, un tapis rond, pour répartir l'énergie, des lampes ou des mobiles, ou encore en suspendant des cristaux arc-en-ciel dans les coins.

● Si porte et fenêtre se font face, cela entraîne une perte

d'énergie qui peut avoir des effets dévastateurs. Les mesures précédentes permettent également de minimiser ce « courant d'air ».

● Les angles aigus et arêtes vives créent du Sha Chi (ou encore Shar Chi, ou mauvais Chi) susceptible d'affaiblir le Chi de l'homme. Évitez notamment de placer les sièges que vous utilisez le plus ou votre lit trop près des angles aigus de meubles ou de murs. Préférez les angles ronds, ou bien neutralisez les arêtes vives à l'aide d'une plante d'intérieur.

Faire le ménage pour favoriser les « bonnes vibrations »

Vous avez horreur du rangement et du nettoyage ? Vous employez une femme de ménage ? Désolé de vous décevoir, mais vos efforts, aussi intenses soient-ils, demeurent alors insuffisants. Comment puis-je être aussi sûr de moi ?

Et bien… Il est certes très important de lutter contre la saleté visible avec un aspirateur, un balai ou une serpillière, mais vous n'atteignez ainsi que la partie émergée de l'iceberg. D'un point de vue Feng Shui, une pièce n'est vraiment propre que lorsqu'elle a été débarrassée des énergies négatives invisibles. En effet, l'histoire d'un lieu, c'est-à-dire tous les événements qui s'y sont déroulés, l'imprègne d'une certaine énergie. Même les anecdotes apparemment anodines de la vie quotidienne (querelles, visites d'amis ou frénésie d'achats) font apparaître dans la maison colères, désordre et énergies étrangères qui peuvent troubler le flux énergétique harmonieux.

Trois règles d'or pour avoir de l'énergie à profusion

1. Ranger : les étagères surchargées, les piles de journaux dans les coins, les armoires pleines à craquer créent des blocages d'énergie. Il est temps de faire un grand ménage. Débarrassez-vous des vieilleries, vous ferez de la place pour la nouveauté.

2. Nettoyer : l'idéal est de vous charger vous-même du

---

info

LE YIN ET LE YANG – PRINCIPES FÉMININ ET MASCULIN

L'homme et la femme s'attirent, se complètent et ont besoin l'un de l'autre. D'après la tradition chinoise, notre univers repose sur deux principes contraires mais complémentaires, le yin et le yang. On retrouve ces deux pôles partout dans la nature : jour/nuit, clarté/obscurité, froid/chaleur… Si leur rapport est équilibré, l'ensemble est harmonieux. En revanche, si un aspect domine, le résultat est désagréable. Dans un appartement aussi, le yin et le yang doivent être équilibrés. En outre, dans les zones de repos et de régénération comme la chambre, la qualité reposante du yin doit être renforcée par l'aménagement, les couleurs, la lumière et les matières appropriées (Yin = calme, passif, réceptif), alors que les zones d'activité comme le salon ou le bureau ont besoin d'un surcroît d'énergie, donc de yang (yang = actif, stimulant, mobile).

Encore quelques exemples : l'été est plus actif et tourné vers l'extérieur (yang) que l'hiver (yin). Les couleurs vives et lumineuses comme le rouge contiennent également plus de yang que les couleurs sombres ou feutrées. De même, la chaleur et le mouvement sont plutôt yang, la fraîcheur et le calme plutôt yin.

Sauge, eau de rose et cymbales permettent d'éliminer les énergies négatives résiduelles.

par la joie que vous éprouverez dans votre pièce devenue plus claire et plus accueillante.

À chacun son intérieur

nettoyage, car c'est alors un processus conscient qui vous permet d'être plus au clair avec vous-même. Une étape intermédiaire indispensable avant l'harmonisation de l'appartement.

3. Éliminer les énergies invisibles : tout ce qui s'est déroulé dans une pièce ou y a été introduit a été «mémorisé» par les meubles, les objets et les murs. Toutes ces énergies négatives s'accumulent au fil du temps, formant une «montagne de déchets» problématique qu'il faut absolument éliminer. Dans une pièce «impure», on se sent fatigué, le moral baisse, tout devient plus pénible. Pour purifier un meuble ou une pièce, faites par exemple brûler de la sauge ou de l'encens, puis tinter des cloches, des cymbales ou un carillon.

Purification énergétique

Pour les pièces peu polluées, la démarche est assez simple :

● faites brûler quelques feuilles de sauge séchée.

● purifiez ensuite à l'eau de rose : diluez 1 ml d'huile essentielle de rose dans 10 à 20 ml d'alcool dans un flacon en verre opaque, et ajoutez 2 à 3 gouttes de ce mélange à votre dernière eau de rinçage. Humectez avec cette eau de rose un chiffon propre réservé à cet effet, puis essuyez meubles, tableaux, murs et sols pour éliminer les énergies néfastes invisibles. Vos efforts seront largement récompensés

Lorsque vous reconsidérez l'aménagement de votre intérieur, agissez toujours en accord avec vous-même, sinon vos mesures ne seront pas efficaces. L'aménagement de la chambre est, bien sûr, primordial pour le succès de votre vie amoureuse. Comment tirer le meilleur parti de cette pièce pour votre relation actuelle ou future ? Sachez tout d'abord que tout ce qui rendra l'espace harmonieux apportera un souffle nouveau à votre relation. Si vous activez en outre les «secteurs de relations humaines» (voir page 23), votre chambre deviendra rapidement le théâtre de fougueux ébats. Découvrez à quelle catégorie d'individus vous appartenez (page 10) et déterminez vos préférences : vous pourrez alors aménager une chambre qui vous convienne parfaitement.

Test!
vous reconnaissez-vous ?

Lisez le descriptif des cinq catégories d'individus et cherchez celui qui vous correspond le mieux. Sachez toutefois qu'il n'existe pas de type « pur », nous sommes tous de savants mélanges. Aussi, si certains traits des catégories A, C et D s'appliquent à vous, regardez simplement dans quelle catégorie vous avez obtenu le plus de points : c'est votre type dominant, celui auquel vous devrez vous reporter pour la suite de l'ouvrage.

TYPE A

- On ne vous fait pas prendre des vessies pour des lanternes. Observateur perspicace, vous savez tirer au clair en un clin d'œil les situations les plus complexes.
- Non seulement vous parvenez très bien à vous concentrer, mais vous vous efforcez en outre d'atteindre les objectifs les plus ambitieux.
- Selon vous, on ne peut vivre de façon sensée et raisonnable que si tout est bien planifié.
- Avide de perfection, le laisser aller vous met en rage.
- La présence permanente de votre partenaire vous serait à la longue insupportable, car vous appréciez aussi la solitude.
- Vous êtes curieux de nature, la technique vous fascine.
- Vous avez horreur des situations incontrôlables.
- Vos couleurs préférées sont le blanc et le gris.
- On vous trouve solitaire, sur la défensive, mais aussi arrogant et autoritaire. Et c'est très bien ainsi.
- Vous venez à bout tout seul des situations difficiles, car tout a une explication logique. Vous ne supportez pas la sensiblerie.
- Les espaces doivent être fonctionnels, aménagés pour le travail ou la détente. Vous trouvez les plantes encombrantes.

TYPE B

- Votre vie est un fleuve tranquille. Vous cherchez toujours à voir les deux côtés des choses.
- On vous trouve sympathique, tendre et affectueux, toujours prêt à vous occuper des autres.
- Vous savez écouter les autres.
- Aux yeux de votre entourage, vous êtes calme, sérieux et digne de confiance. Vous savez garder un secret.
- Vous ne cherchez pas à briller en public, et préférez largement agir dans l'ombre.
- Vous savez en général très bien ce que vous voulez.
- Vous savez motiver les autres par votre force de conviction.
- Vous savez trouver en vous-même des idées intéressantes, mais attendez d'être sûr de vous pour en faire part aux autres, de sorte que vous passez souvent pour un cachottier.
- Très sensible, vous réagissez parfois de façon très émotive et avez besoin d'être entouré.
- Vous aimez le noir et recherchez l'obscurité et le calme.
- Vous avez tendance à être angoissé ou déprimé.

Type C

● Vous êtes créatif et sensible, et vous avez soif d'aventure.

● Vous avez la voix expressive et le regard clair, vous rayonnez.

● Vous avez le goût du risque.

● Votre esprit d'avant-garde et votre ouverture d'esprit vous poussent souvent à participer à des séminaires.

● Vous êtes intelligent, mais parfois trop confiant.

● Vous savez bien mettre les idées en pratique, ou trouver quelqu'un qui les applique.

● Vous avez l'esprit d'équipe et un sens de l'éthique très développé.

● Vous aimez les bougies, les ambiances chaleureuses.

● Vous pouvez vous mettre subitement en colère et êtes sujet à d'importantes sautes d'humeur, de sorte qu'on vous trouve instable, sentimental et stressé.

● Votre couleur préférée est le vert ou le bleu clair.

● Vous aimez être l'objet d'attention, et êtes souvent incapable de rester seul.

● Si vous désirez ardemment être chaleureusement entouré et protégé, vous ne supportez pourtant pas que l'on vous « étouffe ».

● Vous présumez très souvent de vos forces et avez tendance à trop en faire.

Type D

● Très volubile, vous êtes ouvert sur le monde et réagissez de façon spontanée.

● Vous débordez d'énergie. il vous arrive même d'être hyperactif, de ne pas tenir en place.

● Votre puissance intellectuelle et physique fait de vous un être charismatique.

● Vous pouvez vous lancer avec enthousiasme dans un projet. Vous vous précipitez littéralement sur les tâches au lieu de les aborder normalement.

● L'âme d'un poète, qui reste à découvrir, sommeille en vous.

● Vous agissez de façon logique et rationnelle.

● Le travail est pour vous la meilleure façon d'oublier ses soucis quotidiens.

● La performance et le travail bien fait vous tiennent à cœur.

● Vous aimez beaucoup le rouge.

● Vous aimez lire et lisez beaucoup, vous êtes très intelligent, mais vous n'écoutez pas toujours d'une oreille attentive. Vous réagissez souvent trop vite, sans réfléchir aux conséquences.

● Vous vous décidez rapidement, mais changez ensuite souvent d'avis.

● Votre humeur aussi peut changer rapidement et énormément.

● Vous avez sans cesse besoin de relever des défis, sinon vous vous ennuyez.

Type E

● On vous trouve sérieux, mûr et équilibré.

● On se sent en sécurité en votre présence. Vous savez être là lorsqu'on a besoin de vous.

● Votre devise : réalisme, constance et certitude. Lorsque vous vous êtes forgé une opinion, vous n'en changez pas.

● Vous supportez mal le changement et les modifications.

● En vacances, vous préférez vous consacrer à un lieu plutôt que visiter plusieurs villes lors d'un même séjour.

● Vous avez souvent du mal à avoir une vision d'ensemble, à prendre du recul. Les arbres vous cachent la forêt.

● On vous décrit souvent comme un être têtu, lourd, sans imagination.

● Vos couleurs préférées sont le jaune ou le marron.

● Il est important pour vous de rester en contact avec ses vieux amis.

● Vous aimez lire un livre deux fois ou revoir un film.

● Vous avez le sens de l'argent et des détails matériels.

● Vous appréciez le confort.

● Rien ne vous réjouit plus qu'un bon repas copieux.

Quel type
d'amant
êtes-vous ?

Bien que nous correspondions tous à des types « mixtes », il suffit de connaître sa dominante pour aménager sa chambre (page 15). Si vous hésitez, demandez à votre partenaire son avis. Il ou elle se fera un plaisir de vous apporter une aide très pertinente. (Si vous vous aimez toujours après ce test, non seulement vous en saurez plus sur vous-mêmes, mais vous aurez également la preuve de la solidité de votre relation). Vous pouvez aussi demander la collaboration de votre ex, c'est en général très instructif !
Ce test s'inspire du système chinois des « Cinq Éléments » qui symbolisent les qualités et propriétés des hommes et de leur environnement.

Type A

« Métal »

L'important, c'est de réussir

Vous faites de gros efforts pour avancer dans l'existence. Solitaire de nature, vous savez instinctivement faire ce qu'il faut au bon moment. De même, la réussite de votre vie amoureuse n'est pas le fruit du hasard, mais d'un travail de longue haleine. On vous trouve très sérieux, aussi vous fait-on volontiers confiance. Avec votre sens de l'organisation, une soirée en votre compagnie est souvent inoubliable. Technique et fonctionnel, la spontanéité n'est pas votre point fort, et on ne doit pas trop vous en demander. En amour aussi, tout doit se dérouler comme prévu. Vous seriez aux petits soins d'un(e) partenaire qui abonderait dans votre sens.

Type B

« Eau »

Le grand romantique

Vous avez d'inépuisables ressources personnelles, et êtes toujours en quête d'expériences « en profondeur ». Plutôt calme et introverti, vous êtes à l'opposé des personnes à dominante Bois ou Feu, assez extraverties. Vous avez par ailleurs une forte sexualité, parfois un peu mystérieuse ou mystique. Vous savez très bien ce que vous voulez, et vous l'obtenez, car vous savez faire preuve de patience et d'endurance. Vous n'êtes guère tenté par la nouveauté : une fois que vous croyez avoir trouvé ce qui vous convient, vous souhaitez le conserver. En amour, vous aspirez à une relation sérieuse, digne de confiance, que vous ferez évoluer en une expérience amoureuse intense et romantique.

Type C

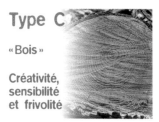

«Bois»

**Créativité,
sensibilité
et frivolité**

Type D

«Feu»

**Fougue
et
passion**

Type E

«Terre»

**Constant
même
en amour**

Très créatif, vous adorez les expériences les plus farfelues, sans tabou. Pendant les jeux amoureux, vous aimez autant les plaisanteries tendres et les parties de rigolade que les câlins et les caresses, voire le chahut et les bagarres. Vos yeux sont votre arme de séduction essentielle, car leur expression profonde en dit long sur vos sentiments et votre confiance. On se détend bien en votre compagnie. Si vous laissez parfois votre partenaire prendre les choses en main, vous êtes toujours prêt à de nouvelles espiègleries. Même à un certain âge, vous conservez un côté adolescent.

Souvent impétueux et passionné, vous avez le goût de l'aventure. Attention toutefois à ne pas laisser votre fougue brûler comme un feu de paille. Rien n'est trop saugrenu pour votre tempérament de feu : pour éviter l'ennui, vous êtes toujours en quête de nouveauté. Votre ouverture et votre vivacité d'esprit vous permettent de tirer rapidement le meilleur parti de toute situation. Vif et spirituel, vous ne manquerez pas d'épater votre partenaire.

Comme vous apportez un grand sentiment de calme et de sécurité, votre partenaire se sentira en confiance et pourra facilement se laisser aller. En amour aussi, vous misez sur la constance et la durée. C'est pourquoi vous revenez toujours à des habitudes et à des pratiques que vous appréciez tout particulièrement (et ce, pas seulement en amour). Vous ne resterez durablement sous le charme d'un partenaire friand de nouveauté que s'il revient de temps à autre à des jeux amoureux plus familiers. En grand jouisseur, vous aimez les plaisirs des sens : les odeurs agréables, les bons petits plats, le vin. Pour vous, rien ne vaut un massage sensuel.

Le Feng Shui et la
décoration
intérieure

Comment aménager au mieux votre nid d'amour et vos « secteurs des relations humaines »

V̄ous avez sans doute constaté à quel point certains environnements peuvent faire naître le désir. La chambre à coucher revêtant une importance particulière pour l'intimité d'un couple, il convient de l'aménager en ce sens. Tenez également compte du Pa Kua et des secteurs des relations humaines : vous donnerez ainsi un coup de pouce supplémentaire à votre vie amoureuse.

Une chambre
voluptueuse

Lorsqu'il s'agit de se détendre et se ressourcer, c'est la chambre à coucher qui prime. Vous passez en effet une grande partie de votre existence au lit, et un sommeil de qualité est indispensable à votre joie de vivre.

Pourtant, on néglige souvent l'importance de la pièce la plus intime de l'appartement pour le succès d'une relation. Étudiez donc attentivement les conseils ci-dessous avant d'aménager votre chambre.

Si vous aimez les ambiances romantiques, optez pour la légèreté. Cette moustiquaire en tulle apporte en outre une touche protectrice.

L'emplacement idéal

● La chambre à coucher doit se trouver dans la partie la plus calme de l'appartement, loin des va-et-vient de l'entrée, de préférence à l'étage.

● N'oubliez pas que le lit est le meuble le plus important et ne laissez pas une armoire imposante écraser la pièce.

● Installez le lit à l'endroit le plus protégé, la tête contre un mur aveugle (sans porte ni fenêtre). Ne le placez pas entre la porte et la fenêtre, cela pourrait troubler votre sommeil. Si vous ne pouvez pas faire autrement, limitez le « courant d'air » à l'aide d'un paravent ou d'un rideau.

● Le lit doit être accessible des deux côtés. Ne le mettez donc pas contre un mur.

Évacuer le stress

Éliminez de la chambre tout ce qui est synonyme d'agitation ou d'activité, ainsi que tout ce qui est oppressant.

● Bibliothèques, bureaux, ordinateurs, dossiers comptables, téléviseurs et tout autre objet lié aux activités diurnes empêchent les individus qui ont du mal à se détendre d'accéder au sommeil profond.

● Des étagères chargées de livres, des rangements à la tête du lit, un gros lustre au-dessus du lit, peuvent provoquer des cauchemars, voire empêcher de dormir.

● « Comme on fait son lit, on se couche ». Qu'y a-t-il sous votre lit ? Éliminez de votre literie tout ce qui n'est pas voué au sommeil.

Un nid d'amour personnifié

Qu'en est-il de la volupté ? Créez dans votre chambre une atmosphère érotique (page 17) et choisissez un décor en accord avec vos besoins intimes (et ceux de votre partenaire si vous vivez une relation stable).

● Pour créer une ambiance intimiste, choisissez plutôt des tissus doux, agréables au toucher.

● Prévoyez un éclairage adapté : préparez bougies et allumettes et équipez la pièce d'un variateur pour pouvoir obtenir une lumière douce.

● Les huiles parfumées et la musique contribuent également à créer une ambiance

intime et vous aideront à vous détendre et à apprécier la compagnie de votre partenaire.

● Cachez vos petits accessoires dans un tiroir qui ferme à clé, afin de les mettre à l'abri des enfants et de la femme de ménage.

Passons maintenant au lit proprement dit. Est-il confortable ? Vous y sentez-vous bien (tous les deux) ? Avez-vous suffisamment de place ? Comment est le matelas ? Trop mou ou trop dur ? Le sommier grince-t-il ?

● Si quelque chose vous gêne, cherchez une solution. Tout élément perturbateur tue le plaisir.

● La fameuse « rigole » a tendance à séparer les partenaires. Remédiez à ce problème.

conseil

DORMEZ-VOUS DANS LE LIT DE L'EX ?

Vous ne voulez pas subir le même sort que la personne qui vous a précédé ? Si vous emménagez chez votre partenaire, dans l'appartement où vivait l'ex, sachez que d'un point de vue énergétique, l'histoire de cette séparation y est inscrite dans les meubles et dans les murs.

● Une purification énergétique s'impose (page 8).

● Prenez vraiment possession des lieux, en y intégrant des éléments à votre goût. Retirez tout ce qui évoque l'ancienne relation. Faites tout pour ne pas jouer le rôle ingrat de l'invité (bien sûr toujours en accord avec votre partenaire).

Vous posez ainsi les bases d'une relation solide et équilibrée. Sachez en outre qu'il règne une atmosphère nettement plus douce et plus paisible dans les pièces « purifiées » : on s'y dispute beaucoup moins.

Ce qui vous séduit vraiment

Avec les individus à dominante «métal», rien n'est laissé au hasard

Pour être conforme à vos goûts, la chambre doit être fonctionnelle et high tech. Un téléviseur dernier cri et le matériel vidéo le plus sophistiqué joueront un rôle déterminant dans vos aventures érotiques préparées de longue date.

La chaîne stéréo judicieusement placée vous permet d'écouter pendant des heures les morceaux de musique sélectionnés, sans que vous ayez besoin d'intervenir. Pour que tout se déroule parfaitement, vous avez déjà mis dans l'appareil vos meilleurs CD de musique d'ambiance.

Vous avez à portée de main tous les interrupteurs et télécommandes.

C'est dans une pièce claire, bien structurée, aménagée avec des lignes droites que vous vous sentez le mieux. Les recoins douillets garnis de coussins soyeux ne sont pas votre tasse de thé, pas plus que

les parfums sensuels ou un lit parsemé de pétales de rose.

Quelques conseils pour les «Métal» : Comme vous supportez mal le froid, votre chambre doit toujours être bien chauffée. Accordez-vous un soupçon de romantisme, si possible en installant un éclairage indirect à commande séparée. Décorez votre chambre avec des objets en pierre ou en terre cuite, aux lignes plutôt sobres, mais n'hésitez pas à choisir des pièces originales, présentant des détails peu communs. Vous appréciez particulièrement les objets animés et les objets à la surface lisse et brillante.

Les personnes à dominante «eau» ont besoin de douceur

Votre chambre ressemble à un nid douillet, dominé par les couleurs douces et

sombres. Elle doit correspondre à votre besoin d'intériorisation, avec notamment un éclairage intimiste. Il règne dans la pièce un soupçon de mélancolie et les objets dynamiques y sont peu nombreux. Vous créez un environnement très yin (page 8), votre chambre est un prototype de lieu calmant et régénérant.

Les objets émettant des sons stridents, les lumières éclatantes et les tonalités futuristes sont exclues de ce royaume de la douceur et du recueillement.

Quelques conseils pour les «Eau» : Comme vous accordez généralement trop d'intérêt à la télévision, mieux vaut ne pas l'installer dans votre chambre. Les accessoires qui apportent douceur et sérénité vous conviennent parfaitement.

Les petites lampes ouvragées, les tableaux aux motifs harmonieux, les tissus doux au toucher et une bonne musique d'ambiance réveillent vos désirs. De beaux atours et profusion de liquide (qu'il s'agisse d'une boisson aphrodisiaque ou d'une fontaine d'intérieur au doux clapotis) vous feront définitivement chavirer.

Joueurs et frivoles, les «Bois» ne manquent pas d'imagination

Bien loin des modèles suggérés par les catalogues d'ameublement, votre chambre est forcément originale. Vous aimez tous les objets avec lesquels vous pouvez improviser de nouveaux jeux, car vous alliez art de la séduction et goût du jeu d'une façon inimitable. Pour satisfaire votre âme câline, votre chambre doit comporter de petits coins douillets, clairs et chaleureux. Le lit doit être de bonne taille en prévision des ébats fougueux que vous affectionnez. La chambre idéale est claire, spacieuse, aérée, parfumée et aménagée avec malice, parsemée de détails sentimentaux et d'idées originales. Vous avez horreur des placards intégrés comme de tout ce qui est classique et ringard. Vous adorez les plantes.

Quelques conseils pour les «Bois» : Les mobiles et tissus parfumés sont pour vous source d'inspiration, de même que les boissons pétillantes comme le champagne. Fouillez dans votre malle aux trésors et lancez-vous dans un jeu de rôles extravagant avec les accessoires les plus farfelus. Vous ne pouvez vous passer de fleurs. Quant aux dauphins, ils symbolisent pour vous la joie et l'intimité. Les objets dans lesquels circule de l'eau vous stimulent. Vous aimez la musique rythmée et entraînante et la chaude lumière des bougies s'accorde à merveille avec votre besoin de câlins.

Exotisme scintillant pour les individus à dominante «Feu»

Tout dans votre chambre évoque l'ouverture d'esprit et l'inspiration. Il y règne même un certain exotisme, avec quelques objets inhabituels parfaitement mis en scène, pas forcément destinés à l'œil curieux des visiteurs. Les œuvres d'art originales et les couleurs chaudes correspondent tout à fait à votre tempérament. La lumière est abondante et chaleureuse, bougies et feu de cheminée sont pour vous des élixirs d'amour. Si vous avez l'âme d'un poète, vous débuterez la soirée par la lecture de quelques textes choisis, mais si, comme nombre de vos contemporains, vous êtes «toujours en train de courir», détendez-vous plutôt le corps et l'esprit en charmante compagnie.

Quelques conseils pour les «Feu» : Votre chambre doit être spacieuse et pas trop encombrée. Rien de tel qu'une musique bien rythmée, animée d'une fougue méridionale, un plat bien épicé, des jeux de lumière et de miroir ou un élément original pour faire naître le désir en vous. Les abat-jour coniques, les œuvres d'art triangulaires, les sculptures élancées, les tapis d'orient dans les tons de rouge ainsi que les fleurs exotiques, les lys et les roses rouges attisent également votre flamme.

Les individus à dominante « Terre », des jouisseurs tous azimuts

Il est pour vous essentiel de combler vos sens : vous adorez vous faire plaisir, en vous délectant de bons petits plats par exemple. Aménagez votre nid d'amour en conséquence et excluez tout ce qui évoque le stress et la grisaille quotidienne. Vous aimez le confort, les coussins bien douillets, les belles matières. Votre sens des proportions et votre penchant pour la solidité donnent à votre chambre une qualité classique qui rejaillit sur votre vie amoureuse. Osez les tendres chuchotements, un peu plus de légèreté, acceptez la variété et la créativité. Si vous aimez chanter, n'hésitez pas à le faire, cela enchantera votre partenaire.

Quelques conseils pour les « Terre » : Le charme des valeurs traditionnelles fait votre force, et la stabilité est l'élément clé de votre décoration intérieure. Évitez donc la fantaisie et préférez la qualité et la solidité. Les couleurs chaudes (rouges, jaunes, bruns) vous conviennent à merveille. Décorez votre espace avec de belles pierres et des objets en céramique, en porcelaine ou en terre cuite. Pensez aux bougies et à l'encens pour stimuler votre vie amoureuse.

Le Pa Kua
miroir
de votre vie

Nos ancêtres l'avaient déjà découvert, il y a des milliers d'années : le monde matériel est toujours une représentation des hommes qui l'habitent. Notre nature profonde et notre situation à un moment donné se reflètent (en partie consciemment, mais surtout inconsciemment) dans tout ce dont nous avons choisi de nous entourer.

On peut appliquer le Pa Kua à chaque appartement, chaque étage et chaque pièce d'un édifice, qui se trouve ainsi divisé en neuf secteurs représentant les principaux aspects de la vie.

Ainsi, le symbolisme de ces aménagements est très révélateur de notre propre nature, mais aussi de celle des autres. Le Pa Kua est un outil précieux pour le déchiffrer.

Neuf secteurs qui symbolisent neuf aspects de la vie

Toute structure matérielle, qu'il s'agisse d'une maison ou d'une seule pièce, abrite une énergie invisible reliée aux hommes de façon subtile. Avec ses neuf secteurs symbolisant neuf aspects importants de la vie, le Pa Kua est une sorte de radiographie de votre demeure. Ce schéma issu de la philosophie chinoise ancestrale peut être appliqué à l'ensemble de votre appartement, mais aussi à chacune des pièces (son importance croît avec le nombre d'heures passées dans la pièce en question ; il est donc très intéressant pour la chambre).

Comment utiliser le Pa Kua

Tracez la grille du Pa Kua sur le plan de votre appartement. S'il est rectangulaire, l'opération est très simple (sinon, reportez-vous à la page 21) : divisez le rectangle en trois dans le sens de la largeur, puis de la longueur, de façon à obtenir neuf cases de taille égale. Posez toujours la ligne du bas (« Savoir – Carrière – Amis secourables ») sur le mur de la porte d'entrée. Si plusieurs portes permettent d'accéder à une maison ou une pièce, choisissez la plus utilisée.

En cas de plan irrégulier

Le Pa Kua peut être appliqué à n'importe quel espace : qu'elle soit carrée, tout en longueur ou très biscornue, la surface d'habitation (on ne tient pas compte du garage) sera considérée comme un rectangle, et divisée en neuf secteurs.

● Les petites parties saillantes (fenêtres en encorbellement par exemple) restent en dehors du Pa Kua ; considérées comme des « extensions utiles », elles renforcent le secteur attenant.

Le coin des relations humaines est absent

● Si la partie saillante représente au moins la moitié du segment de périmètre restant (largeur ou longueur), elle doit être englobée dans le rectangle du Pa Kua.

Reportez-vous page suivante si certains secteurs du Pa Kua sont alors partiellement ou totalement manquants.

Le langage de l'appartement

Dans la nature, tout déséquilibre en entraîne un autre, la prolifération d'une « mauvaise herbe » par exemple. À l'intérieur de nos quatre murs, les grands domaines de notre vie et nos problèmes se répercutent sur l'aménagement des secteurs de Pa Kua correspondants. La disposition des objets, le style, le mobilier et les tableaux choisis sont significatifs de notre mode de vie et des chances que nous n'avons pas encore su saisir.

Certains points donnent matière à réflexion

● Il manque un secteur du Pa Kua (plan irrégulier)

● Une partie de l'appartement est surchargée de meubles ou autres objets
● Le désordre, un mauvais éclairage, des objets cassés ou en panne, la saleté
● Objets à la symbolique forte
● Objets gênants ou pas à leur place
● Défauts de construction, fissures dans les murs, taches d'humidité ou de moisissure
● Secteurs vides ou inutilisés

Passez à l'action

Le Pa Kua doit vous aider à tirer le meilleur parti de ce que la vie et vos talents vous offrent. Ne vous inquiétez pas si vous constatez qu'un secteur est déficient, voire manquant : un grand nombre de déséquilibres sont faciles à compenser (voir page 22).

N'oubliez jamais que votre environnement reflète ce qui se passe en vous : si vous découvrez qu'une grande confusion règne dans le secteur des relations humaines, il ne suffit pas d'y mettre de l'ordre. Vous devez également essayer de vous attaquer à votre désordre intérieur.

Le test
du Pa Kua

QUELS SONT LES SECTEURS DÉFICIENTS ?

Le Pa Kua illustre la façon dont vous gérez certains aspects de votre vie. Vérifiez donc pour chaque partie de votre appartement :

● La présence des divers secteurs (100 % : secteur entièrement représenté, 0 % : secteur complètement manquant) et la façon dont vous les investissez (0 % : secteur « embouteillé »).

● Notez tous les points négatifs (désordre, mauvais éclairage, espace pas encore aménagé, pas nettoyé...). Vous allez vite découvrir à quels secteurs du Pa Kua vous devriez accorder plus d'attention.

CONSEIL : Si vous avez du mal à appliquer le Pa Kua à l'ensemble de votre appartement (dans le cas d'un plan compliqué par exemple), analysez plutôt deux ou trois pièces clés (dont la chambre et le salon).

COMMENT COMPENSER LA DÉFICIENCE DE CERTAINS SECTEURS ?

● « Ouvrez » visuellement le mur derrière lequel se trouve le secteur déficient en y fixant un tableau représentant un paysage ou un miroir. S'il comporte une fenêtre, suspendez des cristaux arc-en-ciel.
● Si le secteur déficient ou manquant se trouve dans le jardin ou le couloir, activez-le en y installant un siège, des plantes, une lampe ou des tableaux.
● Sinon, renforcez le secteur correspondant d'une pièce très utilisée.

Secteur du Pa Kua	Ce qu'il symbolise	Atmosphère idéale, mesures de renfort
LA CARRIÈRE	Le déroulement de la vie, la profession, la vocation, l'amour, la passion romantique	Ouverture, clarté, espace ; coupe remplie d'eau, tableau représentant de l'eau, aquarium, miroir
LE SAVOIR	Les connaissances, l'intuition, la connaissance de sa personnalité profonde, le goût de l'étude, la communication	Calme ; tableaux représentant la montagne ou un paysage hivernal, récipients vides, casiers, placards, cristaux, lumière vive
LA FAMILLE	Les parents, les ancêtres, les supérieurs hiérarchiques, les affaires, le corps	Liberté, sobriété ; photos de famille, motifs printaniers, plantes, eau
LA RICHESSE	La richesse intérieure et matérielle, la valeur propre de chacun, la joie de vivre, le lâcher prise	Ouverture, plénitude ; plantes, aquarium, fontaine d'intérieur, tableau représentant une cascade, coupes vides
LA RENOMMÉE	L'apparence, le rayonnement, l'image, la conscience de soi, la liberté	Clarté, luminosité, objets symbolisant l'inspiration ; belles œuvres d'art, objets brillants, la couleur rouge
LES RELATIONS HUMAINES	Vos relations avec les autres, d'ordre professionnel ou privé	Atmosphère claire et accueillante ; symboles du couple (voir page 23)
LES ENFANTS	Les enfants, la créativité, l'inspiration, l'érotisme, la sensualité, la passion	Ambiance gaie, propice à la créativité ; carillons, fleurs colorées, objets scintillants, suscitant l'imagination
LES AMIS SECOURABLES	Le soutien, l'amitié, donner et recevoir, la réciprocité	Stabilité ; minéraux, pierres semi-précieuses, objets en cristal, carillons
TAI CHI (LE CENTRE)	La position centrale, l'équilibre, la force intérieure, la santé	Clarté, liberté ; spirales d'ADN (photo page 4), cristaux arc-en-ciel, morceaux pointus de cristal de roche

Renforcez le secteur des relations humaines

D'un point de vue psychologique, le secteur des relations humaines reflète aussi vos expériences inconscientes ainsi que vos peurs et vos attentes dans ce domaine.

Examinez donc à la loupe le coin des relations humaines de toutes les pièces importantes de votre demeure. Cet espace est-il bien éclairé ou plutôt sombre ? Y avez-vous déposé votre linge sale (ha ha ha !), ou installé vos photos de famille («pas de relation sans mes parents»)? Une perruche esseulée y végète-t-elle depuis des années dans sa cage («inconsciemment, je préférerais m'enfermer et rester seul»), ou bien y avez-vous accroché, comme cette personne aux partenaires systématiquement agressifs, un immense tableau représentant deux vaisseaux de guerre se livrant bataille ?

Avez-vous assez de place pour un(e) partenaire ?

Vous ne serez guère surpris d'apprendre que les individus chez lesquels le secteur des relations humaines est très encombré n'ont généralement que de très brèves aventures. Ils indiquent très clairement autant à eux-mêmes qu'à leur entourage qu'il n'y a plus de place dans leur vie, que le moindre espace libre est occupé. Le subconscient notamment prend ces messages très au sérieux : lorsque l'on perçoit la même image plusieurs fois par jour, nous l'intégrons au plus profond de nous-mêmes. Ces personnes doivent donc faire de la place pour pouvoir accueillir la nouveauté et s'en réjouir.

Libérez vos énergies amoureuses

Plus votre secteur des relations humaines sera énergétique et animé, plus vous augmenterez vos chances de succès. Tous les objets qui suscitent en vous la joie, la sensualité, la confiance ou l'intimité amélioreront ce secteur de votre Pa Kua.

Important : il est important que vous placiez dans votre secteur des relations humaines les symboles auxquels vous attachez personnellement de l'importance. Vous pouvez ensuite les compléter par des « activateurs universels » : roses, cœurs, photos de votre couple, objets allant par deux, couple de dauphins, bougies, lumière d'ambiance, objets érotiques ou parfums subtils.

Un

Chi renouvelé

pour votre vie amoureuse

Le «Feng Shui intérieur» des couples et des célibataires

Croyez-vous vraiment qu'une bonne relation soit le fruit du hasard? Même dans le cas d'une relation harmonieuse de longue durée? Aussi romantique et passionnée une histoire d'amour soit-elle à ses débuts, les méthodes du «Feng Shui intérieur» sont des outils précieux pour établir une relation durable, fondée sur l'affection et sur l'ouverture.

Pour
les célibataires
tout d'abord :
une force
d'attraction
magique

Vous êtes célibataire depuis un certain temps et en avez assez de la solitude ? En y regardant de plus près, vous vous êtes aperçu que votre ex était loin d'être la perle rare ? Vous avez l'impression de toujours mal tomber ?

Comme vous le savez sans doute déjà, le choix d'un nouveau partenaire dépend directement du schéma que vos relations précédentes ont établi au fil du temps. Il s'est inscrit dans votre subconscient et se répète invariablement. Et vous revoilà dans de mauvais bras/draps (ce n'est bien sûr pas ce qui se passe dans la réalité, puisque votre nouveau partenaire, qui a tout bonnement réagi aux signaux que vous avez envoyés, a forcément quelque chose à partager avec vous).

Les quatre étapes
qui conduisent
au paradis

Si vous en avez assez de cette situation, posez-vous donc quelques questions avant de vous lancer dans une nouvelle aventure.

Êtes-vous prête pour
une relation sérieuse ?

On prétend généralement que si certains célibataires changent souvent de partenaire, c'est qu'ils n'ont pas encore trouvé chaussure à leur pied. En fait, c'est souvent le signe qu'au fond d'eux-mêmes, ils ne sont pas prêts pour une relation. Vous êtes dans ce cas et ne me croyez pas ? Examinez votre demeure. Si ma thèse se confirme, votre état d'esprit devrait s'y refléter d'une façon ou d'une autre. Je parie que votre secteur des relations humaines (page 20) indique très clairement que vous souhaitez rester seul (tout à fait inconsciemment, je sais).

D'autres exemples ? Vous conduisez une élégante voiture de sport, mais le siège du pas-

sager (c'est-à-dire celui de votre partenaire) est encombré de journaux et autres bricoles. Mieux encore : la serrure de la portière côté passager se bloque tout le temps, et ne s'ouvre que difficilement. Dans votre salon, il y a de très beaux sièges, mais malheureusement tous sont prévus pour une seule personne : pas de canapé invitant deux individus à s'asseoir côte à côte. Quant à votre armoire, elle est pleine à craquer. Qui y trouverait la place de ranger ses

Il ne sert pas à grand-chose de rêver du partenaire idéal. Il est bien plus utile de faire ce qu'il faut pour le rencontrer.

● **Étape 2** : arrêtez de ressasser les problèmes et adoptez des pensées positives en visualisant vos souhaits.

Soyez authentique

Prenez conscience de votre nature réelle et de vos besoins, de vos forces et de vos faiblesses, et cessez de vous surestimer, autant vis-à-vis de vous-même que du reste du monde. Du point de vue du Feng Shui, en vous mentant ainsi, vous vous éloignez de votre propre cheminement personnel, de votre propre Chi. Ce n'est qu'en étant en accord avec vous-même que vous découvrirez votre force, que vous serez capable de vivre une relation qui vous comble et vous apporte de l'énergie. Dites « oui » lorsque vous pensez « oui », et « non » lorsque vous pensez « non ».

● **Étape 3** : faites confiance à votre voix intérieure.

affaires ? D'autant qu'avec tous vos intérêts et passe-temps, votre vie est aussi remplie que votre bibliothèque. Si vous pensez que tout ceci est idiot, réfléchissez enfin aux deux points suivants :

1) Personne ne vous demande d'inviter votre partenaire à emménager dans vos 30 m². Il s'agit simplement d'étudier la symbolique de l'aménagement intérieur.

2) Que pensez-vous de l'idée de faire un grand ménage ou d'acheter un canapé ? Faites-vous un blocage ?

● **Étape 1** : faites le ménage, vous serez prêt à accueillir la nouveauté.

Comment imaginez-vous votre nouvelle relation ?

Les expériences désagréables vous donnent vraisemblablement une idée assez précise de ce que vous ne voulez pas revivre. Alors fatalement, tant que vous ne vous fixez pas des objectifs positifs, vous allez reproduire les mêmes erreurs. En effet, les pensées sont des énergies invisibles très puissantes qui favorisent la répétition de leur objet.

Émettez des signaux positifs

Éloignez des secteurs des relations humaines tout ce qui inhibe, et activez ces zones à l'aide d'un décor gai. Soignez tout particulièrement l'un de ces secteurs, de la même façon que vous prendriez grand soin d'un partenaire. Pensez aux fleurs fraîches qui doivent faire l'objet d'une attention régulière et qui symbolisent l'éclosion d'une relation.

L'achat d'un grand canapé, la réparation d'une portière de voiture ou le rangement d'une armoire peuvent être autant de signes de votre « mise en condition ».

Éliminez de la chambre ces tue-l'amour que sont le linge à repasser ou les dossiers de comptabilité. Aménagez plutôt cette pièce selon vos souhaits les plus intimes et réjouissez-vous à l'idée des bons moments à venir.

● **Étape 4 :** Il est grand temps de retirer votre ours en peluche de votre lit.

Après le septième ciel, comment former un couple durable

Tous les couples connaissent des phases difficiles. N'abandonnez pas la partie ; essayez plutôt de faire un pas en direction de votre partenaire. Même si cela vous est pénible, sachez qu'une crise s'avère souvent salutaire après coup.

L'importance du dialogue

Au sein de toutes les relations, le défi le plus difficile à relever consiste à parler ouvertement et en toute confiance de ses préoccupations et de ses besoins. À moins qu'il ne vous soit facile d'exprimer vos désirs, voire vos critiques, à votre partenaire et de lui faire des suggestions quant à son comportement ? On trouve toujours une excuse pour remettre une discussion à plus tard, ou pour l'éviter.

Ce comportement traduit des peurs sous-jacentes, notamment celle d'être confronté à nos propres faiblesses. D'un point de vue Feng Shui, nous perturbons ainsi le flux énergétique qui parcourt librement notre vie. Ce blocage énergétique s'exprime par l'insatisfaction, une agressivité refoulée, des actes compensatoires (achats compulsifs ou consommation abusive de sucreries), voire la maladie.

Les disputes font partie de la vie. Ce qui importe, c'est de maintenir le dialogue pour éviter les blocages.

Affronter les problèmes

Vous souvenez-vous, étant enfant, de la peur que vous inspirait la forêt sombre et profonde ? Lorsque vous avez fini par la traverser, vous vous êtes aperçu qu'elle n'était pas si terrible : il en va de même avec les problèmes que nous hésitons à aborder.

La plupart des questions doivent de toute façon être réglées un jour ou l'autre, alors pourquoi attendre et prolonger inutilement la rancune, la jalousie, l'incertitude et les interrogations sans fin ? Le dialogue permet d'ailleurs de dissiper bien des discordes et des malentendus.

Savoir écouter l'autre

Lorsque l'autre trouve le courage de raconter ce qu'il a sur le cœur, surtout :

1. Écoutez-le et taisez-vous. Laissez-le exprimer son point de vue jusqu'au bout.

2. Lorsque vous répondez, n'optez en aucun cas pour la défensive ou la contre-attaque. Efforcez-vous au contraire d'exposer votre avis calmement et montrez clairement que vous savez apprécier le message, même s'il est douloureux à entendre.

Apprendre aussi à se disputer

Pour parvenir à surmonter aussi les périodes de crise, vous devez mettre au point un mode de dialogue ciblé.

1. Fixez des règles qui non sèulement donnent aux deux partenaires la même possibilité de s'exprimer, mais qui empêchent aussi de se laisser dominer par ses émotions. Il est indispensable de comprendre qu'il ne peut y avoir de gagnant, car si l'un perd, c'est la relation qui est perdante.

2. Pourquoi ne pas mettre un réveil ? Faites-le sonner dès que la discussion devient trop animée, toutes les cinq minutes par exemple, et accordez-vous une minute de temps mort, pendant laquelle personne ne doit parler : cela donne le temps de reprendre son souffle, de se calmer et d'y voir plus clair.

3. L'idéal est de s'entraîner à ce mode de confrontation à la première anicroche pour pouvoir tirer parti de cet apprentissage dans les moments plus difficiles.

Pourquoi vous mettez-vous en colère ?

Un vieil adage chinois explique très bien la philosophie

Test !
qu'est-ce qui cloche dans votre relation ?

VIE QUOTIDIENNE

● Au quotidien, votre relation n'est-elle plus qu'une triste habitude ?

● Lorsque vous rentrez du travail, souhaitez-vous tout simplement avoir la paix ?

● Avez-vous l'impression d'être de moins en moins créatif ?

● Y a-t-il déjà bien longtemps que votre partenaire ne s'occupe plus de la maison ni de la famille ?

● Toute discussion à propos d'argent est-elle vaine, car elle génère systématiquement de terribles tensions ?

Vous avez besoin de changement et de dialogue. Parlez franchement avec votre partenaire et revoyez le partage des tâches. Cherchez des solutions pour retrouver une certaine créativité. Conseils pages 27, 31 et 37.

INTIMITÉ

● Vous ne partagez pratiquement plus d'activité de loisirs ?

● L'un d'entre vous passe-t-il sa vie devant la télévision, l'ordinateur ou au travail ?

● Menez-vous chacun votre vie de votre côté ? ne prévoyez-vous de passer aucun moment ensemble au quotidien ?

● Même les vacances génèrent du stress ?

Repensez votre emploi du temps (libre) de façon à apporter une bouffée d'air frais à votre relation. Conseils pages 42 à 45.

Après l'euphorie initiale, vous êtes brutalement redescendu de votre petit nuage et vous vous heurtez à la dure réalité. Souvenez-vous du principe du Feng Shui, selon lequel tout est perpétuellement en mouvement, tout évolue : votre amour aussi a besoin d'un nouvel élan. Posez-vous les questions suivantes en toute honnêteté pour éliminer les obstacles les plus courants sur la voie d'une relation épanouie, sur le plan sexuel aussi. Prenez conscience de vos points faibles et agissez (pendant qu'il est encore temps !).

ENFANTS

● Depuis que vous avez des enfants, votre relation décline-t-elle ?

● Votre partenaire vous laisse-t-il presque l'entière responsabilité de l'éducation des enfants ?

● Vos enfants partagent-ils votre lit, de sorte qu'il vous est presque impossible d'avoir de l'intimité avec votre partenaire ?

● Les jouets des enfants ont-ils envahi votre maison, y compris votre chambre ?

Attention, vous devez désormais accorder plus d'attention à votre relation qu'avant d'avoir des enfants. Vous trouverez des idées pages 34/35.

PARENTS ET AMIS

● Passez-vous presque tous vos dimanches et jours fériés en compagnie de parents ou d'amis ?

● Aux yeux de votre partenaire, l'opinion des autres compte-elle plus que la vôtre ?

● Vous n'avez pratiquement plus d'amis ?

Souciez-vous davantage de vos propres besoins, sinon vous allez vous laisser submerger par le monde extérieur ou bien dépérir dans l'isolement. Voir pages 32/33.

COMMUNICATION

● Vous est-il de plus en plus difficile d'aborder les problèmes et d'y apporter des solutions constructives ?

● Votre partenaire ne vous comprend pas ?

● Vous est-il devenu presque impossible de vous écouter mutuellement ?

● Votre partenaire ne parle pas de ses sentiments ?

Aucune relation ne peut fonctionner durablement sans les bases d'une communication satisfaisante. Conseils à partir de la page 27.

LA VIE À DEUX

● Êtes-vous stressé par la vie quotidienne au point de mal supporter une trop grande promiscuité ?

● Les gestes tendres et agréables sont-ils devenus très rares au sein de votre couple ?

● Envisagez-vous une séparation ?

Vous devez prendre des mesures d'urgence pour renforcer la tendresse et l'intimité dans votre couple. Essayez les suggestions des 36, 37 et 38.

APPARTEMENT

● Vous n'êtes pas satisfait de votre logement actuel ?

● Votre appartement est-il trop sonore et manque-t-il d'intimité ?

● Vous aimeriez avoir quelques mètres carrés pour vous seul ?

Qu'attendez-vous ? il s'agit de votre vie, alors cherchez vite des solutions. Voir page 34 ainsi que la bibliographie de la page 46.

SEXUALITÉ

● L'intérêt que vous ressentez sur le plan sexuel pour votre partenaire a-t-il diminué ?

● En voulez-vous à votre partenaire, ou bien êtes-vous satisfait de votre relation ?

● Vous est-il difficile, voire impossible, de parler de sexualité avec votre partenaire ?

Une sexualité épanouie fait l'effet d'une fontaine de jouvence et améliore la santé. Et vous voudriez vous en priver ? Reportez-vous pages 39 et suivantes.

INTÉRÊTS PERSONNELS

● Lorsque vous découvrez de nouveaux centres d'intérêt, votre partenaire essaie-t-il par tous les moyens de vous en détourner ?

● Votre partenaire n'a-t-il jamais d'égard pour vous ?

● N'osez-vous jamais consacrer du temps ou de l'argent à vos propres intérêts ?

Qui d'autre que vous sait ce qui vous convient ? Apprenez à défendre vos intérêts et faites changer votre entourage ! Voir aussi pages 32/33.

du Feng Shui visant à une utilisation judicieuse de l'énergie : « Ne te mets pas en colère, sinon tu risquerais de brûler en un seul jour le bois que tu as mis des semaines à ramasser ».

En nous mettant en colère, nous gaspillons beaucoup d'énergie et pouvons nuire grandement à une relation. Notre colère se répercute en effet sur le comportement et sur les sentiments de notre partenaire. Or c'est nous-mêmes qui décidons si nous nous mettons en colère ou pas. Si, par exemple, votre partenaire est de très mauvaise humeur, vous pouvez en déduire qu'il ne vous aime plus, ou tout simplement qu'il a passé une mauvaise journée au travail.

Exercice : éliminer les frustrations

1. Chacun écrit, sans les montrer à l'autre, dix phrases qui commencent toutes par « je t'en veux parce que… », suivies d'une raison différente à chaque fois.

2. Installez-vous maintenant l'un en face de l'autre, respirez à fond et fermez les yeux. Lisez ensuite chacun une phrase à tour de rôle : « Pierre, je t'en veux parce que tu laisses toujours traîner ton linge sale. » ; « Nicole, je n'aime pas que tu dénigres mes amis », « Pierre, je t'en veux parce que… ». Contentez-vous d'écouter l'autre, sans vous défendre.

3. Échangez ensuite vos papiers et essayez de comprendre quelles craintes se cachent derrière les phrases de votre partenaire. « Nicole, je n'aime pas que tu dénigres mes amis » pourrait par exemple signifier « j'ai le sentiment de ne pas compter pour toi ». « Pierre, je t'en veux parce que tu laisses toujours traîner ton linge sale », pourrait exprimer « je trouve que tu ne tiens pas compte de mes sentiments ».

4. Ensuite, réunissez-vous et échangez vos points de vue. Écoutez votre partenaire sans a priori, sans avancer immédiatement d'explications ou d'excuses.

L'objectif est de mieux se comprendre, de prendre conscience des faiblesses de son comportement et de modifier ceux qui sont néfastes à la relation.

5. Même si vous êtes mal à l'aise, remerciez votre partenaire d'avoir parlé et de vous avoir fait confiance, en le serrant dans vos bras ou en exprimant une pensée positive par exemple.

S'exercer à la vie commune : « je m'occupe de mes affaires, tu t'occupes des tiennes »

Vous connaissez le schéma : l'un se charge de la maison et de la famille, l'autre gagne l'argent du ménage et s'occupe de la voiture… Attention, danger ! La répartition des tâches se fait généralement de façon beaucoup trop inconsciente : « ça s'est fait comme ça », puis la situation perdure. Un investissement en temps et en énergie à peu près équitable donne en revanche un sentiment bien plus agréable et évite un déséquilibre énergétique entre les deux partenaires.

1. Écrivez sur un carton le temps que vous estimez nécessaire pour les différentes activités.

2. Étalez ensuite les cartons de façon à pouvoir les lire tous les deux, puis évoquez les différentes tâches et répartissez-les équitablement entre vous.

3. Répétez régulièrement cet exercice.

Devenez enfin vous-même !

Au début de votre relation, vous vous réjouissiez de tout partager avec votre partenaire, gage pour ainsi dire que vous étiez « faits l'un pour l'autre ». J'espère cependant que vous ne croyez pas que cela suffit pour vivre une relation harmonieuse !

Il est indispensable de rester soi-même

Prenez votre courage à deux mains et pensez à vos propres

Être amoureux fou et avoir envie de tout faire ensemble : une phase aussi éphémère qu'une belle bulle de savon.

centres d'intérêt. Sinon, c'est votre partenaire qui au fil du temps donnera le ton, et vous vous contenterez, frustré, de suivre le mouvement. Demandez-vous dès le début quelles activités et quelles connaissances vous négligez, si c'est vous qui vous adaptez trop bien à votre partenaire ou bien si c'est lui qui boycotte activement vos intérêts : restez

toujours fidèle aux aspects les plus forts de votre personnalité ! C'est le fondement d'une relation équilibrée, basée sur la confiance.

« Celui qui n'évolue pas n'est pas vivant »
(proverbe chinois)

Plus vous vous exprimez et plus vous vivez en accord avec vos envies et vos besoins (ce qui n'a rien à voir avec l'égoïsme), plus vous développez votre Chi personnel. Qui ne rêve pas d'avoir un partenaire fort et équilibré à ses côtés ? Votre rayonnement va peut-être même inciter votre partenaire à prendre davantage en compte ses besoins et ses envies, et donc à être plus en accord avec lui-même.

Les amis secourables

Les amis sont importants pour l'équilibre d'une relation, car ils apportent un autre point de vue. En outre, ils sont là lorsque vous avez envie de vous exprimer. Souvenez-vous qu'il ne faut jamais se priver de fous rires ni de bons moments.

Attention : même si vous faites de nouvelles connaissances par l'intermédiaire de votre partenaire, ne négligez jamais vos vieux amis.

L'amitié se cultive comme une plante délicate : plus vous lui prodiguez de soins (même quand tout va bien), plus vous pouvez compter sur elle (selon le principe Feng Shui de réciprocité). Cette certitude peut vous apporter confiance et stabilité.

Passez-vous trop de temps avec vos amis ?

Cependant, si vous passez presque tout votre temps libre avec des parents ou amis, sachez être très à l'écoute de vos propres besoins et envies. Ne laissez pas l'opinion de vos amis primer sur la vôtre et préservez suffisamment votre sphère privée, en ne les voyant par exemple pas chez vous. Cela vous laisse assez d'intimité pour que votre énergie domestique reste stable (car tous les individus laissent en un lieu un peu de leur énergie personnelle, qui n'est pas toujours uniquement positive). Plus vous recevez, plus vous devez purifier votre demeure fréquemment d'un point de vue énergétique (page 8).

Rien ne vaut un dialogue complice entre copines. Ne négligez pas vos amis.

Les enfants : ne vous laissez pas **envahir** !

Ce n'est pas par hasard si un secteur du Pa Kua est consacré aux enfants : ils symbolisent la fraîcheur, la vivacité, la nouveauté, la créativité, la beauté de la vie. Mais ne vous intéressez pas seulement au secteur du Pa Kua, penchez-vous aussi sur ce qui se passe avec vos propres enfants.

Un défi permanent

Les enfants constituent indiscutablement le plus beau cadeau de votre union. Ils sont l'incarnation de leurs deux parents, et, que cela vous plaise ou non, leur façon d'être reflète vos propres forces et faiblesses. Réfléchissez et demandez-vous ce que votre enfant cherche à vous dire par son comportement. Cela vous sera des plus profitables pour votre développement personnel.

Les enfants peuvent-ils partager le lit de leurs parents ?
Pour jouer et faire un câlin, oui, bien sûr, mais la nuit, chacun sa chambre.

Il est important de fixer des limites

Très intuitifs, les enfants cherchent toujours à savoir jusqu'où ils peuvent aller. Cela exige des parents une grande vigilance, doublée d'intuition et de compréhension. (Je sais que c'est plus facile à dire qu'à faire, car il arrive aussi aux parents d'être de mauvaise humeur ou tout simplement fatigués).

Il est important de poser des limites à un enfant, qui en comprendra le bien fondé, même si elles ne sont pas toujours drôles. Attention : les règles imposées doivent toujours être réalistes et s'appliquer également aux parents. Une mesure arbitraire contredite l'instant suivant par le comportement des parents perturberait l'enfant et le pousserait à désobéir.

Partager son lit avec ses enfants

Les premiers mois, il est tout à fait compréhensible de vouloir

garder son enfant à ses côtés, même la nuit. L'intimité partagée avec le bébé comble souvent le besoin de caresses des parents, qui en échangent souvent trop peu au cours de cette période. Toutefois, ce manque inconscient pousse de nombreux couples à garder leur enfant trop longtemps dans leur chambre. Lorsqu'ils essaient ensuite, généralement sans grande conviction, de le transférer dans une autre chambre, l'aventure se termine souvent dans les cris. Une situation à l'origine de sérieux problèmes de couple.

Des espaces sans enfants

Vous ne rendez pas service à vos enfants en leur consacrant tellement de temps et d'énergie que vous n'en avez plus pour votre couple. Si en revanche vous leur présentez une relation épanouie, ils penseront, confiants, qu'eux aussi réussiront plus tard leur vie amoureuse.

● Préservez donc un espace suffisant pour vous et votre vie de couple. Dès que les enfants sont assez grands, ils ne doivent plus avoir accès à votre chambre. Ou bien trouvez un autre endroit pour vos moments de retraite et d'intimité, qui sera exclusivement réservé à votre partenaire et à vous-même.

● Aménagez ce lieu de façon à créer une ambiance intime, chaleureuse, protectrice.

● Apprenez à vos enfants (c'est possible à partir de 4 ans) que papa et maman ne veulent pas être dérangés lorsqu'ils sont là. À partir de 2 ans et demi, un enfant peut apprendre à frapper avant d'entrer dans une pièce. Sinon, prenez une baby-sitter pour être tranquilles pendant vos moments d'intimité.

Efforcez-vous enfin, même si ce n'est que pour dix minutes, de vous retirer dans votre chambre pour les moments d'intimité.

VOTRE REFUGE

Peu importe que ce soit leur chambre ou une cabane dans les arbres, tous les couples ont besoin d'un lieu à eux, dans lequel ils puissent oublier les soucis de la vie quotidienne et partager leur intimité sans être dérangés.

● Notez tous les deux ce que vous attendez de ce lieu : qu'allez-vous y faire ? Quelle odeur y règne-t-il ? Qu'y entend-on ? Quel en est l'aspect le plus important à vos yeux ? Qu'est-ce qui ne doit en aucun cas s'y passer ? Aménagez l'espace de façon à satisfaire au mieux vos désirs.

● Devez-vous éviter de faire du bruit ? Cherchez une solution, car ces efforts vous font gaspiller trop d'énergie. Pensez aux rideaux lourds et aux tapis épais qui amortissent les sons.

● Supprimez tout ce qui vous gêne : la télévision, les jouets des enfants, le bureau, les chaussettes sales. Ce grand ménage améliorera la qualité de votre sommeil et vous rendra plus réceptif au plaisir.

● Faites une petite fête pour inaugurer votre havre de paix.

S'épanouir

dans l'amour
sensualité et joie
au quotidien

Vous souhaitez vivre toutes les joies de l'amour ? Et peut-être découvrir dans vos jeux amoureux des plaisirs encore inconnus ? Alors lisez absolument les pages qui suivent pour mieux jouir des bonnes choses de la vie.

Jouir
pleinement

Pour vous mettre dans l'ambiance :

Des parfums enivrants

Les huiles essentielles et les herbes aromatiques vous permettront d'obtenir en un clin d'œil une atmosphère sensuelle.

Le brûle-parfum

Pour se détendre et avoir envie de plus…

Versez dans un brûle-parfum : 3 gouttes d'huile de bois de santal
1 goutte d'huile de rose
1 goutte de néroli
2 gouttes d'ylang-ylang
et un peu d'eau.

Parfaite le premier soir, pour vaincre tout vestige de timidité, ou après une journée épuisante, cette odeur envoûtante séduit tout le monde.

Les coussins parfumés

… qui ne donnent pas du tout envie de s'endormir :

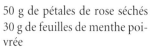

50 g de pétales de rose séchés
30 g de feuilles de menthe poivrée
20 g d'aiguilles de romarin
5 clous de girofle pilés
3 gouttes d'huile de patchouli sur un coton

Confectionnez un petit coussin de soie sauvage ou de coton que vous garnirez avec ces ingrédients. Outre leur pouvoir aphrodisiaque, ces derniers effacent toute trace de mélancolie et autres manifestations de fatigue, pour que vous puissiez vous aimer toute la nuit. L'odeur s'estompe au bout d'un an environ, mais il vous suffit alors de renouveler la garniture.

Délices aphrodisiaques

Désireux comme la déesse de la beauté et de l'amour de mener sa vie amoureuse au gré de son envie et de son humeur, l'homme essaie depuis la nuit des temps de stimuler sa libido par des mets aphrodisiaques.

Ainsi, le caviar, le céleri, les oignons et l'ail (attention à l'haleine !), mais aussi les raisins, les cerises, les petits pois, les figues et les dattes seraient particulièrement stimulants. Les huîtres seraient elles aussi aphrodisiaques, et la livèche n'aurait pas seulement des vertus dépuratives…

À propos des épices, sachez que tout ce qui est fort (le piment et le gingembre par exemple) est censé rendre plus fort…

Vous connaissez maintenant la marche à suivre : servez à votre bien-aimé(e) du caviar, du céleri ou un plat bien relevé avec de la livèche, et réjouissez-vous en pensant au plaisir à venir.

Si vous préférez la sensualité à la pudeur – que pensez-vous d'une petite orgie ?

pommes et de céleri, noisettes ou noix, mayonnaise). Au Moyen-Age, on considérait la noisette comme le symbole de la volupté, et les noix mettraient les hormones en ébullition.

● Des fraises, des raisins ou des figues pour le plaisir de croquer dans leur chair fruitée et sucrée.

Plaisirs orgiaques dans la baignoire

Si vous avez une grande baignoire, ne vous refusez ces plaisirs sous aucun prétexte :

La baignoire, un nid d'amour voluptueux

Si vous envisagez un rendez-vous galant dans l'eau délicieusement chaude de votre baignoire, préparez quelques friandises, des bougies et de la musique d'ambiance. Choisissez des rythmes qui vous plaisent à tous les deux, et disposez joliment quelques amuse-gueules appétissants et aphrodisiaques.

Quelques suggestions pour vous mettre en bouche...

● Du champagne ou du vin blanc pétillant, mais sans excès (ménagez votre libido !)

● Des toasts au saumon fumé et au caviar, pour vous titiller les papilles

● Des huîtres pour le plaisir de faire du bruit en les mangeant

● Une salade Waldorf (dés de

... avant de vous glisser dans l'eau en toute volupté

Pour un bain envoûtant, versez un litre de petit-lait et 2 cuillerées à soupe de miel dans une eau pas trop chaude (38 °C) que vous parsemez de pétales de rose frais. Vous pouvez ajouter quelques gouttes d'huiles essentielles au petit-lait avant d'entrer dans l'eau (utilisez par exemple le mélange proposé pour le brûle-parfum page 37).

Aussi agréable et voluptueux que soit ce bain, gagnez la chambre à temps pour ne pas sombrer trop tôt dans le sommeil. Vos corps ainsi échauffés devraient être fin prêts pour de formidables ébats nocturnes.

Le Feng Shui de l'érotisme

Viens jouer avec moi

Chatouilles, plaisanteries, batailles de polochon… ces jeux amoureux favorisent la communication, le fair-play et la maturité nécessaires à une vie de couple équilibrée. Ils permettent en outre d'exprimer et de vivre sans la moindre inhibition ses désirs les plus intimes. C'est enfin l'occasion rêvée d'apprendre à connaître son partenaire, mais aussi soimême, et de ressentir au plus profond de soi le doux picotement de la nouveauté.

Quelques idées coquines

Un peu d'imagination et quelques ustensiles suffisent pour bien s'amuser. Il ne s'agit pas en effet d'une course contre la montre jusqu'au lit,

mais plutôt de partager quelques bons moments afin de donner un nouvel élan à l'amour.

Pour mettre en pratique les quelques idées coquines qui suivent, vous aurez besoin de fruits, de dés, d'un sablier, de pierres semi-précieuses douces au toucher, de papier et d'un crayon, d'huiles essentielles et de divers objets que vous pourrez détourner de façon amusante.

Découvrir de nouveaux aspects de sa personnalité

● L'un de vous récite l'alphabet jusqu'à ce que l'autre dise « stop ! ». La dernière lettre prononcée donne le coup d'envoi du jeu qui consiste à énoncer le plus vite possible six lieux différents pour faire l'amour, dont le nom commence par la lettre en question. Par exemple, si vous vous êtes arrêté à la lettre C : cuisine, cantine, chaufferie, cinéma… Celui qui a gagné (au bout d'un nombre impair de parties), a ensuite le droit de choisir le lieu des prochains ébats.

conseil

FAIRE À NOUVEAU CONNAISSANCE

Un jeu merveilleux pour revivre l'excitation ressentie lorsque vous êtes tombé amoureux : la « rencontre fortuite ».

Faites comme si… vous flâniez seul dans les rues de Florence, jouissant de la merveilleuse atmosphère qui règne dans cette ville. À votre grande surprise, vous tombez sur une vague relation professionnelle (interprétée par votre partenaire). Ravis, peu déstabilisés par cette rencontre, vous convenez spontanément d'aller manger un morceau dans la première trattoria venue. Vous passez en revue les événements de ces derniers mois. Autour d'un verre de vin, la timidité du début s'estompe rapidement, faisant place à une pétillante intimité, et vous admettez que vous vous appréciez déjà vraiment autrefois. Plus rien ne devrait désormais venir perturber la suite de ces retrouvailles…

● Lancez les dés jusqu'à ce que l'un d'entre vous atteigne en additionnant ses points un total de 66. Si vous dépassez ce nombre, retranchez la somme obtenue au lancé de dés suivant, et ainsi de suite jusqu'à ce que vous parveniez à 66. Le perdant doit ensuite, pendant la durée d'un sablier, s'acquitter d'une requête câline de son partenaire, un massage de la nuque, un millier de baisers ou un poème d'amour spontané par exemple.

● Pour des préliminaires très sensuels, prenez 5 pierres semi-précieuses, demandez à votre partenaire de s'allonger sur le dos, puis posez une pierre à l'intérieur de ses deux chevilles, sur le dos de chacune de ses mains et sur son front. Caressez-lui ensuite les cuisses, le ventre, les bras et les hanches avec une plume très douce. Dès que votre partenaire fait tomber une pierre, il a perdu : il doit alors exaucer l'un de vos vœux. Variante relaxante : caressez-le avec un pinceau rond en poils de martre dont vous avez humecté la pointe de quelques gouttes d'huile essentielle (la vanille est très aphrodisiaque).

● En dessert, je vous conseille la dégustation de fruits, si possible les yeux bandés. Parcourez tout d'abord le corps de votre partenaire avec les fruits (fraises, cerises, grains de raisin) puis faites-les lui manger. Variante : décorez le ventre, la poitrine ou le bassin de votre parte-naire avec des fruits, du chocolat, du miel, des olives, bref des friandises juteuses, sucrées ou salées, puis dégustez-les.

En vous laissant guider par votre imagination, vous découvrirez des aspects de vous-même que vous ignoriez, des énergies et des flux énergétiques insoupçonnés qui apporteront joie et équilibre à votre relation.

Comment faire circuler à nouveau librement l'énergie

Bien que nous vivions au siècle de la liberté sexuelle, nous semblons encore à des années-lumière d'une approche sans tabou, voire réparatrice (mais oui, c'est possible !), de notre sexualité. En effet, la relation ambiguë que nous entretenons avec notre corps et la difficulté de satisfaire nos attentes démesurées, tant vis-à-vis de nous-même que de notre partenaire, ont fait apparaître une multitude de nouveaux problèmes.

Les expériences douloureuses qui en découlent empêchent

Si l'énergie circule librement, si rien ne vient entraver le plaisir et la joie de vivre, alors la sexualité prend toute sa force énergisante et réparatrice.

les flux énergétiques de circuler librement, diminuent notre plaisir et notre joie de vivre et nous privent de la puissance énergisante et réparatrice de notre sexualité.

Halte à la frustration, place au plaisir : la « bascule du bassin » renforce l'énergie sexuelle féminine

Pour mettre enfin un terme aux expériences douloureuses et frustrantes des femmes au lieu de les aggraver, il est temps de passer à une nouvelle forme d'amour et de sensualité, en rééquilibrant les fonctions sexuelles naturelles que sont l'excitation, l'orgasme, le plaisir et l'extase. L'enseignement taoïste du Feng Shui fournit une aide précieuse pour réfléchir et remédier à ce problème.

Voici notamment un excellent exercice permettant d'améliorer les flux énergétiques féminins.

1. Allongez-vous dans une pièce chaude et bien aérée, sur un matelas ni trop dur ni trop mou. L'idéal est de faire l'exercice en plein air.

2. Pliez les jambes et posez les pieds l'un à côté de l'autre, écartés de la largeur du bassin.

3. En inspirant, basculez le bassin en arrière de façon à faire apparaître un léger creux au niveau des lombaires.

4. En expirant, basculez maintenant le bassin en avant, de façon à soulever légèrement les fesses.

5. Répétez cette bascule du bassin en rythme, dans un mouvement fluide et naturel, très lent au début puis de plus en plus rapide. Restez détendue, ne forcez pas, afin de pouvoir le poursuivre sans interruption pendant 10 à 15 minutes.

6. Une fois l'exercice terminé, restez allongée calmement pendant au moins cinq minutes et prenez conscience de vos sensations.

Faire circuler aussi le souffle : respirer avec le diaphragme

Que vous soyez un homme ou une femme, consacrez quelques minutes par jour à respirer avec votre diaphragme. Vous apprendrez ainsi à votre corps à respirer à fond naturellement, dans toutes les situations de la vie, et cela contribuera à faire circuler votre énergie sexuelle dans tout votre corps.

1. Asseyez-vous bien droit sur une chaise, les pieds écartés à peu près de la largeur des épaules. Détendez vos épaules et posez les mains sur le haut du ventre.

2. Inspirez par le nez et sentez l'abdomen qui se gonfle et le diaphragme qui s'abaisse.

3. Expirez violemment par le nez, puis rentrez l'abdomen, comme si vous vouliez plaquer le nombril sur votre colonne vertébrale. Pensez à vous tenir bien droit.

4. Recommencez, et faites cet exercice au moins 18 fois.

À n'oublier sous aucun prétexte le Feng Shui de la joie

Le quotidien est parfois une vraie galère, et votre vie amoureuse risque de s'essouffler avant que vous ayez le temps de dire ouf.
Sachez toutefois qu'il existe un excellent moyen d'augmenter la joie de vivre et donc le bonheur : il suffit pour cela de rire et de s'amuser. N'oubliez pas que l'intérieur rejaillit sur l'extérieur : la gaieté est contagieuse. Riez et votre environnement sera plus serein.

Le rire agit sur la libido

Rien ne vaut un bon fou rire pour se sentir revigoré, car le rire libère une tonne d'énergie. Il n'est donc guère surprenant que la libido aussi en bénéficie. Le rire détend et libère, ce qui est bon pour la santé (les patients gais guérissent plus vite) et pour la sexualité (voir encadré).

Le rire, thérapie de crise

Le rire n'est pas seulement communicatif, il aide aussi à se libérer des tensions. Plus un couple rit, plus il surmontera facilement les crises et les coups bas. Le rire renforce les énergies positives. Un flirt gai, avec ses plaisanteries et ses gentilles provocations, est généralement synonyme de bonne humeur. Pourquoi réserver cette attitude aux débuts d'une relation ? Redécouvrez les plaisirs du flirt avec votre partenaire !

Le «Feng Shui» du bon temps

Votre appartement regorge certainement d'ustensiles et d'équipements «ridicules». Il vous est donc très facile de redonner un peu d'allant à votre quotidien tout en augmentant le Chi de votre demeure.

Cherchez tous les secteurs à problème dont vous allez bientôt refaire la décoration, et égayez-les avec des tableaux ou des objets incongrus, grotesques ou à double sens. Tirez par exemple parti des coins inutilisés, derrière les portes par exemple, ou des murs nus de la cage d'escalier ou des toilettes. Tout ce qui vous plaît et vous amuse est permis. Maximes originales, cartes postales amusantes, couleurs vives et criardes, montages photo, collages, empreinte des pieds de vos amis aux murs et au plafond, morceaux de tissus et d'affiches transformés en décor de film ou tout simplement un souvenir insolite, la liste des «activateurs» possibles est illimitée. Vous constaterez vite que ces changements farfelus sont salutaires, car une atmosphère de jeu stimule autant l'espace que les individus.

Si vous êtes à court d'idées, en voici encore quelques-unes : confectionnez un coussin en

info

QUE SE PASSE-T-IL DANS NOTRE CORPS QUAND NOUS RIONS ?

Un fou rire fait travailler 17 muscles du visage, diminue la quantité d'hormones produisant du stress et augmente celle des hormones du bonheur. Le diaphragme et la cage thoracique sont pris de secousses, le visage rougit, le pouls s'accélère et monte jusqu'à 120. Le haut du corps se plie sous l'effet de la contraction des abdominaux.

Les spasmes du diaphragme stimulent les organes sexuels. Le souffle expulsé dans la trachée artère, à 100 km/h, explose dans la gorge, produisant des sons hachés de 270 Hertz chez les hommes et 500 Hertz chez les femmes. Les harmoniques atteignent même parfois une fréquence de 6 000 Hertz, nettement supérieure à celle du chant et de la parole.

Le premier éclat cesse au bout de 6 secondes environ, rapidement suivi par un ou deux autres. Lorsque la tension diminue, vous avez vraiment le sentiment d'avoir été « mort de rire », vous ressentez une voluptueuse fatigue.

Les objets originaux comme cette lampe égaieront votre appartement et renforceront son Chi.

ment privé et professionnel harmonieux, votre logement et le bon Feng Shui de ce lieu ainsi que les charmantes personnes dont vous vous entourez, tous ces éléments influent de manière déterminante sur votre bien-être personnel.

Vous pourrez toutefois surmonter facilement un environnement néfaste ou une période de stress si vos pensées et vos émotions sont imprégnées de joie et de détente. Le meilleur des environnements ne sert pas à grand-chose si l'individu ne cesse de penser à ses problèmes.

Temps libre pour le corps, l'esprit et l'âme

Pour activer les énergies positives, vous devez absolument équilibrer régulièrement la situation par des vacances, du temps libre et des jeux, afin de vous « aérer un peu la tête ». Changez donc souvent de décor et prenez de la distance par rapport à votre travail ou à votre vie de famille, même si le temps vous est compté. Utilisez toujours votre temps libre pour rééquilibrer la situation.

Le yang a besoin du yin (page 8) : une vie quotidienne bien remplie appelle donc le calme ; un travail stressant incite à choisir une activité de loisir qui permette de dépenser les énergies accumulées, un sport par exemple.

L'idéal est de trouver un passe-temps qui vous plaise aussi bien à l'un qu'à l'autre. En le pratiquant ensemble, vous renforcerez votre intimité et vous renouvellerez le quotidien.

Le jeu pour le jeu : de l'énergie à l'état pur

À combien remonte la dernière fois où vous vous êtes vraiment défoulé en toute insouciance ? où vous avez ri aux éclats ? où vous vous êtes amusé avec votre partenaire, dans une légèreté et une gaieté exubérantes ? Il est grand temps de changer vos habitudes !

Réfléchissez et essayez de trouver sur le champ une idée de jeu incongrue à partager avec votre partenaire.

utilisant uniquement des restes de tissu et des objets insolites ou encore étonnez vos invités en leur proposant d'apporter leur contribution à votre décor mural.

Le Feng Shui du bien-être

Une alimentation énergétique, de l'air frais, un environne-

● Peut-être pourriez-vous réaliser ensemble un joli collage érotique en utilisant les magazines qui traînent dans la maison ? ou bien dénicher une musique sympathique et inviter votre partenaire pour une danse effrénée ou au contraire très intimiste dans le salon ? Ou encore construire avec les Légo de vos enfants le château de rêve de la septième galaxie ?

● À moins que vous ne passiez des heures à jouer tous les deux ou avec des amis à des jeux de société créatifs et astucieux. Vous attendrez avec impatience ces soirées de détente qui apporteront une bouffée d'air frais à votre relation.

Prenez-vous en main, sans perdre de temps

Le Feng Shui de l'amour est aussi le Feng Shui de l'amour de soi. Accordez plus d'attention à votre voix intérieure, prenez davantage en compte vos besoins. Vous seul pouvez changer votre vie, et vous disposez maintenant des « outils » qui vous permettront

de le faire. Le mieux est de vous y mettre tout de suite, car il vous reste encore beaucoup

de choses à découvrir, à vivre et à aimer.

Index

Acupuncture 7
Aménagement de la chambre à coucher 15
Aménagement de votre chambre en fonction de votre dominante 17
Amis 29, 32
Amour de soi, Feng Shui de l' 45
Aphrodisiaques (mets) 37
Arêtes vives 7
Aspects de la vie 20, 22
Autoroutes énergétiques 7

Baignoire, plaisirs orgiaques dans la 38
Bascule du bassin 41
Besoins personnels 32
Bien-être, Feng Shui du, 44
Blocages énergétiques 7

Célibataires 5, 25
Chi 6
Chi, mauvais 7
Choix du partenaire 25
Circulation de l'énergie dans l'appartement 6
Colère 27
Couples 5
Courant d'air porte-fenêtre 7
Crises 27
Crises de couple 27

Décoration intérieure 14
Disputes 27

Eau de rose 9
Efficacité 4, 7
Encens 9
Énergie 6

Énergie de l'amour 5
Énergie sexuelle féminine 41
Énergie vitale 6
Énergies négatives 7, 8
Enfants 29, 34
Érotisme 39
Exercices 278, 41
Extension utile 21

Feng Shui 4
Feng Shui de la joie 42
Feng Shui du bon temps 43
Feng Shui intérieur 24
Frustration, halte à la, 30

Individus à dominante Bois 13, 18
Individus à dominante Eau 12, 17
Individus à dominante Feu 13, 18
Individus à dominante Métal 12, 17
Individus à dominante Terre 13, 19
Intérêts personnels 30, 32
Intimité 29
Invités 33

Jeux amoureux 39
Joie 36
Joie, Feng Shui de la, 42

Lignes droites, longues 7
Lit 15
Lit, côté yin et côté yang 27
Lit, le partager avec vos enfants 35
Logement actuel 30

Mots doux 31

Nettoyage 8
Nid d'amour 14, 35

Odeurs sensuelles 37

Pa Kua 20
Parents 29
Passe-temps 32, 44
Pensées 44
Problèmes 27
Purification des pièces 8
Purification énergétique 8

Quotidien 29

Rangement 8
Recherche du partenaire 25
Refuge 35
Respirer avec le diaphragme 42
Rêves 33
Rire 42

Secteur de la Carrière 33
Secteur des relations humaines 21, 23
Secteurs déficients 21, 22
Secteurs du Pa Kua 20
Secteurs manquants 21, 22
Sexualité 30, 40
Sha Chi 7
Sons, purification par les, 9

Temps libre 44
Test du Pa Kua 22
Tests 10, 29
Types d'amants 10

Vent & Eau 6
Vie à deux 30
Yin et yang 8

Bibliographie

Sator, Günther : Feng Shui, Habitat et Harmonie. Éditions Vigot, Paris 2000.

Qian Jie, Feng Shui, Un art de vivre, à paraître

À propos de l'auteur

Initialement ingénieur en construction mécanique, Günther Sator a ensuite suivi une formation de formateur en communication et management, ainsi que de conseiller en matière d'environnement, de mode de vie et de société. Une grave maladie l'a amené à adopter très tôt une conception globale de l'existence, et à effectuer de longs séjours à l'étranger. Familiarisé avec le Feng Shui dès 1983, il a étudié cette discipline auprès de grands maîtres orientaux et occidentaux. Il a été le premier conseiller européen en Feng Shui et s'est rapidement efforcé de faire de cette discipline un outil moderne et pratique pour les Occidentaux. Il est aujourd'hui l'un des conseillers les plus recherchés des banques, hôtels, et petites et moyennes entreprises. Fondateur de l'Académie de Feng Shui, il anime également de nombreux séminaires. Il est enfin l'auteur de plusieurs ouvrages à succès sur le Feng Shui et ses applications pratiques pour l'habitat, le jardin et le lieu de travail.

Avertissement

Les conseils délivrés par cet ouvrage sont le fruit d'études sérieuses, et leur efficacité a été vérifiée en pratique. Toutefois, nous invitons le lecteur à décider lui-même s'il souhaite les appliquer, et dans quelle mesure. L'auteur et l'éditeur ne sauraient être tenus responsables des conséquences.

Crédits iconographiques

Photographie : Tom Roch
Illustrations : Martin Scharf

Autres photographies :
Couverture : Mauritius/S. Pearce
Intérieur de l'ouvrage : J. & L. Weber/P. Arnold/Okapia p. 12 gauche, M. Chilmaid/OSF/Okapia p. 12 droite ; D. Rose/Okapia p. 13 gauche, Uselmann p. 13 centre, E.A.Soder/Okapia p. 13 droite ;
Hülstra p .2, 15, 16 ;
Ifa : P. Sinclair p. 23 (photo à l'arrière-plan) ;
Ingo-Maurer-Archiv p. 3, 44 ;
Image Bank : Chronoscope p. 28, 3, 44, Britt Erlanson p. 32 ; Johnny A. Ready p. 34 ; Marc Romanelli p. 41, David de Lossy p. 45
Stock Imagery/Bavaria p. 3, 38
TCL/Bavaria p. 24, 26, 42 ;
TonyStone : Stefan May p. 2, 36 ;
Zefa : H.G.Rossi p. 33

Chez le même éditeur

R. Collier, Renaître grâce à une cure intestinale
B. Frohn, Anti-Âge
E-M. Kraske, Équilibre acide-base
B. Küllenberg, Les Bienfaits du vinaigre de cidre
M. Grillparzer, Brûleurs de graisse
D. Langen, Le Training autogène
M. Lesch, G. Forder, Kinésiologie : réduire le stress et renforcer son énergie
E. Pospisil, Le Régime méditérranéen
G. Sator, Feng Shui. Habitat et harmonie
S. Schmidt, Fleurs de Bach et harmonie intérieure
K. Schutt, Massage : Bienfaits pour le corps et l'esprit
B. Sesterhenn, Purifier son organisme
H-M Stellmann, Médecine naturelle et maladies infantiles
W. Stumpf, Homéopathie pour les enfants
C. Voormann, Massages pour bébé
F. Wagner, L'Acupression digitale
F. Wagner, Le Massage des zones réflexes
M. Werner, Huiles essentielles

Traduit de l'allemand par Ghislaine Tamisier-Roux

Pour l'édition originale parue sous le titre *Feng Shui for love.* © 1999, Gräfe und Unzer Verlag GmbH, Munich

Pour la présente édition : © 2002, Éditions Vigot – 23, rue de l'École-de-Médecine, 75006 Paris.

Dépôt légal : février 2002 - ISBN 2-7114-1551-1.

Imprimé en France par Pollina (85) - N° L85777A